SO-BNF-075

Español que Funciona

Libro Primero

Diciendo y Haciendo

por

ELIDA WILLS
Southgate School
Corpus Christi, Texas

DALLAS

BANKS UPSHAW AND COMPANY

PREFACE

Español que funciona is the outcome of twelve years of experimentation in teaching Spanish to young children. It embodies the methods, principles, and psychology developed not from theorizing but rather from actual results obtained with hundreds of pupils in typical classrooms.

The vocabulary is limited to words and idioms which long experience has demonstrated are most useful and interesting to both Spanish-speaking and non-Spanish-speaking children of the primary and elementary school levels. The activities, action lessons, and games contained herein were all performed in the classrooms. The language and expressions are those of the children. The activities and action lessons are the favorite activities of the children.

The compilation of *Español que funciona* was made possible through the progressive attitude and encouragement of Superintendent R. B. Fisher of the Corpus Christi school system and of Principal Weldon Gibson of Southgate School, Corpus Christi, who generously placed the facilities of his institution at the disposal of the author.

Grateful acknowledgment is also due the many other friends who inspired and encouraged the author during her years of research and experimentation. She is especially indebted to Miss Mary Carroll, Dr. E. H. Hereford, Mrs. R. M. Shaw, Mr. J. E. Conner, and to Congressman Richard M. Kleberg for their splendid co-operation in making Spanish instruction available for the elementary schools of Texas.

—ELIDA PHILLIPS WILLS.

Corpus Christi, Texas,
August, 1941.

Copyright 1941
By

ELIDA WILLS

Printed in the United States of America

ÍNDICE

Diciendo y Haciendo

EL GATO

Este es el gato.
El gato es amarillo.
El gato bebe leche.

ga	ge	gi	go	gu
ga	gue	gui	go	gu
ta	te	ti	to	tu

EL PERRO

Este es el perro.
El perro es blanco.
El perro bebe leche.

pa   pe   pi   po   pu
rra   rre   rri   rro   rru

EL PATO

Este es el pato.
El pato es blanco y morado.
El pato bebe agua.

pa pe pi po pu
ta te ti to tu

EL PAPEL

Este es el papel.

Este es el papel amarillo.

Este es el papel blanco.

Este es el papel morado.

Este es el papel rojo.

ra   re   ri   ro   ru

ja   je   ji   jo   ju

REPASO

¿Cuál es el pato?

¿Cuál es el perro?

¿Cuál es el gato?

¿Cuál es el papel blanco?

¿Cuál es el papel amarillo?

¿Cuál es el papel rojo?

¿Cuál es el papel morado?

Diga usted el cuento del pato.

Diga usted el cuento del perro.

Diga usted el cuento del gato.

Yo digo el cuento del gato.

"Este es el gato.

El gato es amarillo.

El gato bebe leche."

LA VACA

Esta es la vaca.

La vaca es alazana.

La vaca bebe agua.

va	ve	vi	vo	vu
ca	ce	ci	co	cu
ca	que	qui	co	cu

EL CABALLO

Este es el caballo.

El caballo es alazán.

El caballo bebe agua.

ca	que	qui	co	cu
ba	be	bi	bo	bu
lla	lle	lli	llo	llu

LA GALLINA

Esta es la gallina.

La gallina es gris.

La gallina bebe agua.

ga	ge	gi	go	gu
lla	lle	lli	llo	llu
na	ne	ni	no	nu

EL TERNERO

Este es el ternero.

El ternero es alazán.

El ternero bebe leche.

cha che chi cho chu

la le li lo lu

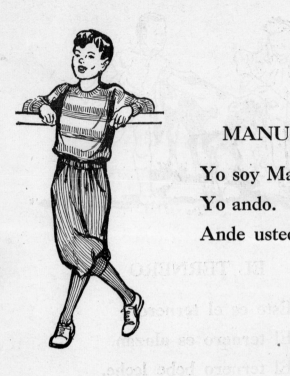

MANUEL

Yo soy Manuel.

Yo ando.

Ande usted.

ma   me   mi   mo   mu

a   e   i   o   u

da   de   di   do   du

LUCíA

Yo soy Lucía.

Yo corro.

Corra usted.

la	le	li	lo	lu
ca	ce	ci	co	cu
a	e	i	o	u

ABRIR

Esta es la puerta.

Yo abro la puerta.

Abra usted la puerta, Lucía.

Esta es la ventana.

Yo abro la ventana.

Abra usted la ventana, Manuel.

Esta es la caja.

Yo abro la caja.

Abra usted la caja, Lupita.

Este es el libro.

Yo abro el libro.

Abra usted el libro, Anita.

CERRAR

Esta es la puerta.

Yo cierro la puerta.

Cierre usted la puerta, Lucía.

Esta es la ventana.

Yo cierro la ventana.

Cierre usted la ventana, Manuel.

Esta es la caja.

Yo cierro la caja.

Cierre usted la caja, Lupita.

Este es el libro.

Yo cierro el libro.

Cierre usted el libro, Anita.

REPASO

1. Ande usted, Anita.
2. Corra usted, Lupita.
3. Abra usted la puerta, Manuel.
4. Cierre usted la ventana, Lucía.
5. Abra usted el libro, Anita.
6. Cierre usted el libro, Anita.
7. Abra usted la caja, Lupita.
8. Cierre usted la caja, Lupita.
9. Diga usted el cuento de la vaca.
10. ¿Cuál es el papel gris?
11. ¿Cuál es el caballo?
12. ¿Cuál es el ternero?

ESCRIBIR

Esta es la tiza.

Yo escribo con la tiza.

Escriba usted con la tiza, Manuel.

Esta es la pizarra.

Yo escribo con la tiza en la pizarra.

Escriba usted con la tiza en la pizarra.

Este es el lápiz.

Yo escribo con el lápiz.

Escriba usted con el lápiz, Lucía.

Este es el cuaderno.

Yo escribo con el lápiz en el cuaderno.

Escriba usted con el lápiz en el cuaderno.

rra	rre	rri	rro	rru
ta	te	ti	to	tu
za	ze	zi	zo	zu
pa	pe	pi	po	pu

ÉL Y ELLA

Escriba usted en la pizarra, Manuel.

¿Qué hace él?

Abra usted la puerta, Juan.

¿Qué hace él?

Cierre usted la ventana, Raúl.

¿Qué hace él?

Escriba usted en el cuaderno, Juan.

¿Qué hace él?

Corra usted, Lucía.

¿Qué hace ella?

Ande usted, Lupita.

¿Qué hace ella?

Abra usted el libro, Anita.

¿Qué hace ella?

Cierre usted la caja, Lucía.

¿Qué hace ella?

TOMAR

Yo tomo la vaca.

Esta es la vaca.

La vaca es alazana.

Lucía, tome usted la gallina.

(Lucía toma la gallina y dice:)

"Yo tomo la gallina.

Esta es la gallina.

La gallina es gris."

Manuel, tome usted el caballo.

(Manuel toma el caballo y dice:)

"Yo tomo el caballo.

Este es el caballo.

El caballo es alazán."

Anita, tome usted la tiza.

(Anita toma la tiza y dice:)

"Yo tomo la tiza.

Esta es la tiza.

Yo escribo con la tiza."

ÉL Y ELLA

Manuel, tome usted un animal.

Manuel toma _____.

Lucía, ¿qué tomó él?

El tomó _____.

Lupita, tome usted un papel.

Lupita toma _____.

Manuel, ¿qué tomó ella?

Ella tomó _____.

na	ne	ni	no	nu
ña	ñe	ñi	ño	ñu
lla	lle	lli	llo	llu
sa	se	si	so	su

LA MANZANA

Esta es la manzana.

La manzana es roja.

La manzana es redonda.

Yo como la manzana.

ca	ce	ci	co	cu
ca	que	qui	co	cu
ma	me	mi	mo	mu

LA NARANJA

Esta es la naranja.

La naranja es anaranjada.

La naranja es redonda.

Yo como la naranja.

na   ne   ni   no   nu

ja   je   ji   jo   ju

da   de   di   do   du

la   le   li   lo   lu

pa   pe   pi   po   pu

ga   ge   gi   go   gu

EL DURAZNO

Este es el durazno.

El durazno es redondo.

Yo como el durazno.

EL PLÁTANO

Este es el plátano.

El plátano es amarillo.

El plátano es largo.

Yo como el plátano.

REPASO

1. ¿Cuál es la manzana?
2. ¿Cuál es la naranja?
3. ¿Cuál es el durazno?
4. ¿Cuál es el plátano?
5. Déme usted la naranja, Lucía.
6. Yo le doy la naranja.
7. Déme usted el plátano.
8. Yo le doy el plátano.
9. Déme usted el durazno.
10. Yo le doy el durazno.
11. Diga usted el cuento de la naranja.
12. Diga usted el cuento del plátano.

LA PERA

Esta es la pera.

La pera es una fruta.

Los niños comen la pera.

LA PIÑA

Esta es la piña.

Los niños comen la piña.

La piña es una fruta.

LAS UVAS

Estas son las uvas.

Las uvas son muy buenas.

Nosotros comemos uvas.

LAS CEREZAS

Estas son las cerezas.

Las cerezas son rojas.

Las cerezas son muy buenas.

Nosotros comemos las cerezas.

LAS PASAS

Estas son las pasas.

Las pasas son uvas secas.

Las pasas son buenas.

Los niños comen pasas.

2. LAS FRESAS

Estas son las fresas.

Yo como fresas.

Usted come fresas.

Él come fresas.

Ella come fresas.

Nosotros comemos fresas.

Nosotras comemos fresas.

Ellos comen fresas.

Ellas comen fresas.

sa	se	si	so	su
na	ne	ni	no	nu
ma	me	mi	mo	mu

5. LA TORONJA

Esta es la toronja.

La toronja es una fruta.

La toronja tiene mucho jugo.

Los niños beben jugo de toronja.

3. EL LIMÓN

Este es el limón.

El limón es amarillo.

El limón es una fruta.

Yo bebo té con limón.

8,7 LA COL

Esta es la col.

La col es una legumbre.

La col es verde.

10,9 LA LECHUGA

Esta es la lechuga.

La lechuga es una legumbre.

La lechuga es verde.

ya   ye   yi   yo   yu

que qué aqui quién

121. EL TOMATE

Este es el tomate.
El tomate es una legumbre.
El tomate es rojo.

14. 13. EL NABO

Este es el nabo.
El nabo es una legumbre.
El nabo es blanco y morado.

pa pe pi po pu

ña ñe ñi ño ñu

ra re ri ro ru

fa fe fi fo fu

cha che chi cho chu

EL REPASO

1. ¿De qué color son las uvas?
2. ¿De qué color son las fresas?
3. ¿De qué color es el limón?
4. ¿Qué son las pasas?
5. ¿Cuál fruta tiene mucho jugo?
6. ¿Qué beben los niños?
7. ¿De qué color es la col?
8. ¿Qué es la col?
9. ¿De qué color es la lechuga?
10. ¿Qué es la lechuga?
11. ¿De qué color es el tomate?
12. ¿Qué es el tomate?
13. ¿De qué color es el nabo?
14. ¿Qué es el nabo?
15. Diga usted el cuento de la pera.
    Yo digo el cuento de la pera:
    "Esta es la pera.
    La pera es una fruta.
    Los niños comen la fruta."
16. Diga usted el cuento de la piña.
17. Diga usted el cuento del tomate.
18. Diga usted el cuento de la lechuga.

EL MAÍZ

Este es el maíz.

El maíz es un grano.

El maíz es grano seco.

EL TRIGO

Este es el trigo.

El trigo es un grano.

El trigo es grano seco.

LA AVENA

Esta es la avena.

La avena es un grano.

La avena es grano seco.

EL ARROZ

Este es el arroz.

El arroz es un grano.

El arroz es grano seco.

EL CONEJO

Este es el conejo.

El conejo es un animal.

El conejo come la col.

El conejo come la lechuga.

El conejo come muchas legumbres.

EL POLLITO

Este es el pollito.

El pollito come maíz.

El pollito come arroz.

El pollito come trigo.

El pollito come muchos granos.

EL CORDERO

Este es el cordero.

El cordero bebe leche.

El cordero bebe agua.

El cordero come heno.

El cordero come hierba.

LA ARDILLA

Esta es la ardilla.

La ardilla es un animal.

La ardilla come bellotas.

EL RATÓN

Este es el ratón.

El ratón tiene una cola muy larga.

Al ratón le gusta comer queso.

EL PAN

Este es el pan.

Lucía come pan.

Manuel come pan.

A mí me gusta comer pan.

EL HELADO

Este es helado.

Los niños comen helado.

A mí me gusta comer helado.

que   queso   quebrar

DICIENDO Y HACIENDO

Me pongo de pie.

Póngase usted de pie, Lupita.

Me siento en la silla.

Siéntese usted en la silla, Anita.

Yo pongo el libro sobre la mesa.

Ponga usted el libro sobre la mesa.

Yo dibujo una pelota.

Dibuje usted una pelota.

Yo borro el dibujo.

Borre usted el dibujo.

Esta es la pelota.

Yo tiro la pelota.

Usted coge la pelota.

Tire usted la pelota, Manuel.

Yo cojo la pelota.

Yo tiro la pelota.

Coja usted la pelota, Lupita.

LA CONVERSACIÓN

Yo me llamo _____.

¿Cómo se llama usted?

Yo vivo en la calle de_____,

número_____.

Yo vivo en la ciudad de_____,

Tejas.

¿Dónde vive usted?

Yo tengo_____años de edad.

¿Cuántos años tiene usted?

Mi papá se llama _____.

¿Cómo se llama su papá?

Mi mamá se llama _____.

¿Cómo se llama su mamá?

Yo escribo mi nombre.

Escriba usted su nombre.

Yo dibujo un árbol.

Dibuje usted un árbol.

Yo dibujo una flor.

Dibuje usted una flor.

DICIENDO Y HACIENDO

Estas son las tijeras.

Yo corto con las tijeras.

Yo corto el papel con las tijeras.

Corte usted el papel, Lucía.

Yo pongo el engrudo sobre la mesa.

Ponga usted el engrudo sobre la mesa.

Yo pongo el libro debajo de la mesa.

Ponga usted el libro debajo de la mesa.

Yo le doy las tijeras a Manuel.

Déle usted las tijeras a Lucía.

Yo voy a la puerta.

Vaya usted a la puerta, Anita.

Venga usted acá.

Yo voy a la ventana.

Vaya usted a la ventana, Lupita.

Venga usted acá.

Yo voy a la puerta.

Yo veo por la puerta.

¿Qué ve usted?

LA CASA

Esta es la casa.

Lucía vive en esta casa.

Manuel vive en esta casa.

El papá de Lucía vive aquí.

El gato y el perro viven aquí también.

El SOMBRERO

Este es el sombrero.

Yo me pongo el sombrero.

Póngase usted el sombrero.

Estos son los zapatos.

Este es un vestido.

Este es un traje.

NUESTROS AMIGOS

Este es el policía.

El policía nos cuida.

El policía cuida el tráfico.

El policía es nuestro amigo.

Estos son los bomberos.

Los bomberos apagan el fuego.

Los bomberos son nuestros amigos.

Este es el panadero.

El panadero vende pan.

El panadero hace el pan.

El panadero es nuestro amigo.

Este es el lechero.

El lechero vende leche.

El lechero es nuestro amigo.

LA ESCUELA

Esta es la escuela.

Yo vengo a la escuela.

¿Viene usted a la escuela?

¿Vienen los niños a la escuela?

LA TIENDA DE ROPA

Esta es la tienda de ropa.

Papá trabaja en la tienda de ropa.

Papá vende sombreros.

Papá vende vestidos.

Papá vende trajes.

Papá vende zapatos.

LA FRUTERÍA

Esta es la frutería.

¿Qué compra mamá en la frutería?

LA PANADERÍA

Esta es la panadería.

¿Qué compra mamá en la panadería?

LA MUEBLERÍA

Esta es la mueblería.

¿Qué compra mamá en la mueblería?

Estos son los muebles.

¿Dónde compra mamá los muebles?

LA BOTICA

Esta es la botica.

Yo compro medicinas en la botica.

Lucía compra cuadernos en la botica.

¿Qué compra usted en la botica?

Manuel compra el engrudo en la botica.

Nosotros compramos medicinas en la botica.

¿Qué compran ellas?

Ellas compran helado en la botica.

¿Dónde compra mamá las legumbres?

¿Dónde compra mamá el pan?

¿Dónde compra mamá la fruta?

¿Dónde compra mamá las medicinas?

LA PIÑATA

Esta es la piñata.

La piñata es bonita.

Nosotros jugamos a la piñata.

Aquí está el pañuelo.

Yo le vendo los ojos a Lupita.

Aquí está el palo, Lupita.

Déle usted tres golpes a la piñata.

¡Quiebre usted la piñata, Lupita!

¡Uno, dos, tres golpes!

¡Lupita no quebró la piñata!

¡Manuel quebró la piñata!

¡Aquí están los dulces!

¡Nosotros comemos dulces!

¡Muchas gracias, profesora!

LAS CANICAS

Nosotros jugamos a las canicas.

Aquí están las canicas.

Manuel y Raúl juegan aquí.

Lucía y Lupita juegan allá.

Anita y yo jugamos aquí.

¿Quién ganó?

Yo gané.

Nosotros ganamos el juego.

¿Quién perdió?

Yo perdí.

Nosotros perdimos el juego.

EL GATO ESTÁ EN LA ESQUINA

Póngase en esta esquina, Lucía.

Póngase en esa esquina, Lupita.

Póngase en aquella esquina, Anita.

Póngase en aquella esquina, Raúl.

Ustedes son los "ratones."

Manuel es el "gato," y él se pone de pie en medio del cuarto.

Ustedes cambian esquinas.

Manuel cogió la esquina de Raúl.

Raúl es el "gato" ahora.

EL SUBE Y BAJA

Nosotros jugamos al sube y baja.

Este es el sube y baja.

Aquí se sienta Lucía.

Aquí se sienta Anita.

Lucía sube.

Anita baja.

¡Ellas suben y bajan!

LA MATATENA

Aquí está una pelota pequeña.

La pelota es de hule.

Aquí están las piedras pequeñas.

Estas son cuatro piedras.

Aquí se sientan cuatro niñas.

Lucía juega primero.

¡Lucía perdió!

Ahora juega Lupita.

¡Lupita perdió!

Ahora juega Anita.

EL BEBE LECHE

Nosotros jugamos al bebe leche.

Lucía dibuja el cuadro.

Aquí está el vidrio.

Lupita juega primero.

Lupita brinca con un pie.

Lupita tira el vidrio y lo levanta.

Lupita perdió.

Ahora juega Anita.

EL BURRO

Aquí está el burro.

Aquí está el pañuelo.

Yo le vendo los ojos a Manuel.

Aquí está la cola.

Póngale la cola al burro, Manuel.

LA PUERTA ESTÁ QUEBRADA

Lucía es el capitán de un partido. Anita es el capitán del otro partido. Lucía y Anita forman la puerta. Ellas cantan:

"¡Ya la puerta está quebrada
ya la van a componer
y él que pase
ha de pasar,
y él que no
se ha de quedar!"

Todas las niñas pasan por la puerta hasta que termine la canción.

La última niña se queda dentro de la puerta.

Lucía y Anita le preguntan en secreto si ella (la última niña) quiere ser hada o gitana. (Lucía es hada y Anita es gitana.)

Lucía y Anita cantan otra vez.

Cuando terminan, Lucía y Anita se cogen de las manos y las hadas estiran y ayudan a Lucía; las gitanas ayudan y estiran a Anita. Las hadas estiran a las gitanas para su lado de la línea y ellas ganan el juego.

CANCIONES

Patito Patito

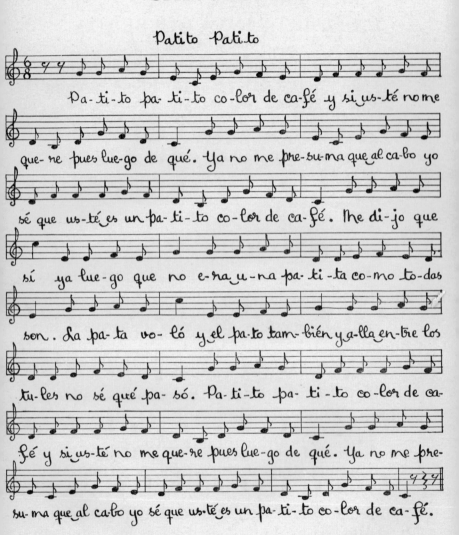

Pa-ti-to pa-ti-to co-lor de ca-fé y si us-té no me
que-re pues lue-go de qué. Ya no me pre-su-ma que al ca-bo yo
sé que us-té es un pa-ti-to co-lor de ca-fé. Me di-jo que
sí ya lue-go que no e-ra u-na pa-ti-ta co-mo to-das
son. La pa-ta vo-ló y el pa-to tam-bién y a-llá en-tre los
tu-les no sé qué pa-só. Pa-ti-to pa-ti-to co-lor de ca-
fé y si us-té no me que-re pues lue-go de qué. Ya no me pre-
su-ma que al ca-bo yo sé que us-té es un pa-ti-to co-lor de ca-fé.

Adelita

Si A-de-li-ta se fue-ra con o-tro

le se-gui-rí-a la hue-lla sin ce-sar

por va-po-res y bu-ques de gue-rra

por tie-rra en un tren mi-li-tar

Si A-de-li-ta qui-sie-ra ser mi es-po-sa

si A-de-li-ta fue-ra mi mu-jer

le com-pra-rí-a un ves-ti-do de se-da

pa-ra lle-var-la en un co-che al cuar-tel

Canciones
La Piñata.

E.C. de N.

Aire Popular Mexicano
Armonizado por E.C. de N.

1. Con a-le-grí-a can - ta - mos De la her-mo-sa pi - ña - ta
2. Al-re-dor de la pi - ña - ta La dul-ce ri-sa re-sue - na,
3. Guardo pre-cio-sa en mi vi - da Es-ta me-mo-ria tan gra-ta

Queen No-che Bue-na go - za-mos, Su be - lle-za nos en - can - ta.
Cuan-do el te-so-ro de - rra-ma ¡Qué pla-cer de No-che Bue - na! ¡Oh,
De mi in-fan-cia que - ri-da, ¡Oh, sim-pá-ti - ca pi - na - ta!

lin — da pi-ña-ta —, Ri-que-zas en-cie-rras sin par: — Tus

dul-ces y flo-res, Tus vi-vos co-lo-res Nos han siempre de de-lei - tar! —

VOCABULARIO

A

a, to

a, a preposition used before a proper noun or definite person in the accusative case. When so used it is not translated.

abrir, to open; **abra usted,** you open (polite command); **abre,** opens; **abro,** I open

acá, here

el agua, water

ahora, now

al, to the (contraction of **a** and **el**)

alazán, reddish brown (masculine); **alazana,** reddish brown (feminine)

allá, there

amarillo, yellow

el amigo, friend

anaranjada, orange (color)

andar, to walk; **anda,** walks; **ande usted,** you walk (polite command); **ando,** I walk

el animal, animal

Anita, diminutive of Ann

año, year

apagar, to put out, extinguish; **apagan,** they put out

aquella, that

aquí, here

el árbol, tree

la ardilla, squirrel

el arroz, rice

la avena, oats

ayudar, to help; **ayudan,** they help

B

bajar, to descend; **ellos bajan,** they descend

bebe, el——leche, "hopscotch"

beber, to drink; **bebe,** drinks; **beben,** they drink

las bellotas, acorns

blanco, white (m.)

los bomberos, firemen

bonita, pretty (f.)

el borrador, eraser

borrar, to erase; **yo borro,** I erase; **borre usted,** you erase (polite command)

la botica, drug store

brincar, to jump, to leap, to skip; **brinca,** jumps

buenas, good (f. pl.)

el burro, donkey

C

el caballo, horse

la caja, box

la calle, street

cambiar, to exchange; **ustedes cambian,** you (pl.) exchange

la canción, song

las canicas, marbles

cantar, to sing; **ellas cantan,** they (fem.) sing

el capitán, captain

la casa, house

las cerezas, cherries

cerrar, to close; **cierra,** closes; **cierre usted,** you close (polite command); **cierro,** I close

el césped, grass

la ciudad, city

coger, to take, to catch, to seize; cogió, took (third person sing.); se cogen de las manos, they hold one another's hands; yo cojo, I catch; usted coge, you catch; coja usted, you catch (polite command); él coge, he catches; ella coge, she catches

la col, cabbage

la cola, tail

el color, color

comer, to eat; yo como, I eat; ellos comen, they eat; nosotros comemos, we eat; come, eats

¿Cómo?, How?

¿Cómo se llama su mamá?, What is your mother's name?

componer, to repair, to fix; Ya la van a componer, They are going to repair it.

comprar, to buy; compra, buys; ¿Qué compra ella?, What does she buy?; Yo compro, I buy; ellos compran, they buy; nosotros compramos, we buy; ¿Qué compran ellos?, What do they buy?

con, with

el conejo, rabbit

la conversación, conversation

el cordero, lamb

correr, to run; yo corro, I run; corra usted, you run (polite command); corre, runs

cortar, to cut; corte usted, you cut (polite command); yo corto, I cut

los cuadernos, tablets, notebooks

el cuadro, rectangle, square

¿Cuál?, Which?

¿Cuántos?, How many?

¿Cuántos años tiene usted?, How old are you?

el cuarto, room

cuatro, four

el cuento, story

cuidar, to take care of; cuida, takes care of

D

dar, to give; yo doy, I give

de, of; de la, of the (f.); del, of the (m.)

debajo, under

decir, to say, tell

déle, you give him, her (polite command)

déme, give me

dentro de, inside

dibujar, to draw; yo dibujo, I draw; dibuje usted, you draw (polite command); dibuja, draws

el dibujo, drawing

diciendo, saying

diga usted, you tell (polite command)

yo digo, I say, tell

¿Dónde?, Where?; ¿Dónde vive usted?, Where do you live?

dos, two

los dulces, candies, sweets

el durazno, peach

E

edad, age; yo tengo siete años de edad, I am seven years old

el, the (m.)

él, he
ella, she
ellas, they (f.)
ellos, they (m.)
en, in, on; **en medio de,** in the middle of
el engrudo, paste
es, is
esa, that (f.)
escribir, to write; **yo escribo,** I write; **escriba usted,** you write (polite command); **escribe,** writes
la escuela, school
la esquina, corner (outside); **las esquinas,** corners; **el gato está en la esquina,** "puss in the corner"
esta, this (f.)
está, is (temporarily)
están, are (temporarily)
estas, these (f.)
este, this (m.)
estirar, to pull; **ellas estiran,** they (f.) pull
estos, these (m.)

F

la flor, flower
forman, they form
las fresas, strawberries
la fruta, fruit
la frutería, fruit stand
el fuego, fire

G

la gallina, hen
ganar, to win; **yo gané,** I won; **gana,** wins; **ganó,** won; **ellos ganan el juego,** they win the game
el gato, cat; **el gato está en la esquina,** "puss in the corner"

la gitana, gipsy (f.)
los golpes, blows, strikes
gracias, thanks; **muchas gracias,** many thanks; **el Día de dar gracias, Día de acción de gracias,** Thanksgiving Day
el grano, grain; **los granos,** grains
gris, gray
gustar, to like, to please; **(a mí) me gusta,** I like; **le gusta,** likes

H

hacer, to make, to do; **hace,** does, makes (third person sing.); **¿Qué hace él?,** What does he do?
haciendo, doing, making
el hada, fairy
hasta, until
hay, there is, there are
el helado, ice cream
el heno, hay
la hierba, weed, grass
los huaraches, sandals
el hule, rubber

I

ir, to go; **yo voy,** I go; **vaya usted,** you go (polite command)

J

juega, plays
juegan, they play
el juego, game
jugar, to play; **nosotros jugamos,** we play
el jugo, juice

L

la, the (fem. sing.)
el lado, side

el lápiz, pencil
larga, long (f.)
las, the (fem. pl.)
la leche, milk
el lechero, milk man
la lechuga, lettuce
la legumbre, vegetable
levantar, to pick up, to raise;
  lo levanta, picks it up
el libro, book
el limón, lemon
la línea, line
los, the (m. pl.)
Lucía, Lucy
Lupita, a girl's name (Guadalupe)

LL

llamar, to call
llamarse, to be called, named;
  Yo me llamo, My name is;
  ¿Cómo se llama usted?
  What is your name?; Mi
  papá se llama, My father's
  name is

M

maestra, teacher (f.)
el maíz, corn
la mamá, mamma, mother
la mano, hand; las manos, hands
Manuel, Emanuel
la manzana, apple
la matatena, ball and jacks
las medicinas, medicines
a medio de, in the middle of
la mesa, table
morado, purple
mucho, much
muchos, many (m.)
la mueblería, furniture store
los muebles, furniture
muy, very

N

la Navidad, Christmas
la noche, night; la noche de las
  brujas, Hallowe'en
el nombre, name; mi nombre,
  my name; su nombre, your,
  his, or her name
el número, number

O

o, or
el ojo, eye; los ojos, eyes
otro, other; del otro, of the
  other; otra vez, again
oveja, sheep

P

el palo, stick
el pan, bread
la panadería, bakery
el panadero, baker
el pañuelo, handkerchief
el papá, father, papa, daddy
el papel, paper
para, for, in order to
pardo, brown
el partido, team, side
pasar, to pass; pasan they
  pass; el que pase, the one
  who passes
las pasas, raisins
Pascua, Día de___, Easter day
el pato, duck
la pelota, ball
pequeña, small (f. sing.)
la pera, pear
perder, to lose; perdió, lost;
  ¿Quién perdió?, Who lost?
  Yo perdí, I lost; nosotros
  perdimos, we lost
el perro, dog

el pie, foot; él se pone de pie,
he stands; me pongo de pie,
I stand; póngase usted de
pie, you stand (polite command)

las piedras, stones

la piña, pineapple

la piñata, jug, jar; also a game

la pizarra, blackboard

el plátano, banana

el policía, policeman

el pollito, chicken

poner, to put

ponerse, to put on; yo me
pongo, I put on; póngase
usted el sombrero, put on
your hat (polite command);
póngale la cola al burro,
put the tail on the donkey

ponga usted, you put (polite
command)

yo pongo, I put

por, through, by

preguntar, to ask; le preguntan, they ask him, her.

primero, first

la profesora, teacher (f.)

la puerta, door; la puerta está
quebrada, "London bridge
is falling down"

púrpura, purple

Q

que, that, who, which

¿Qué?, What?

quebrada, broken

quebrar, to break; quiebre
usted, you break (polite
command); quebró, broke;
no quebró, did not break;
le puerta está quebrada,
"London bridge is falling
down"

quedar, to remain; se queda,
remains

querer, to wish, to desire, to
want; quiere, wants

el queso, cheese

¿Quién?, Who? (sing.)

R

el ratón, mouse; los ratones,
mice

recortar, to cut out; recorte
usted, you cut out (polite
command)

redondo, round (m. sing.)

el repaso, review

el rincón, corner (inside)

rojo, red (m. sing.); roja, (f.
sing.); rojas (f. pl.)

la ropa, clothes; tienda de ropa,
department store

S

seco, dry, dried up (m. sing.);
secas (f. pl.)

el secreto, secret; en secreto,
secretly

sentarse, to sit, to be seated

ser, to be

si, if

sí, yes, indeed

se sienta, sits; siéntese usted, be
seated (polite command);
me siento, I sit; se sientan,
they sit

la silla, chair

el sobre, envelope

sobre, on, upon

el sombrero, hat

son, are

soy, I am

su, your, his, her, their

el sube y baja, the see-saw game

subir, to ascend, to go up;
ellos suben, they ascend

T

también, also

el té, tea

Tejas, Texas

tener, to have

tengo, I have

terminar, to end, to finish; hasta que termine la canción, until the song ends

el ternero, calf

la tienda, store

tiene, has

las tijeras, scissors

tirar, to throw; yo tiro, I throw; tire usted, you throw (polite command); tira, throws

la tiza, chalk

todas, all (fem. pl.)

tomar, to take, to seize, to grasp; yo tomo, I take; tome usted, you take (polite command); toma, takes; tomó, took, did take; ¿Qué tomó él?, What did he take?

el tomate, tomato

la toronja, grapefruit

trabajar, to work; trabaja, works

el tráfico, traffic

el traje, suit

tres, three

el trigo, wheat

U

la última, the last one (f.)

un, a, an, one (m.)

una, a, an, one (f.)

uno, one (m.)

usted, you (sing.)

ustedes, you (pl.)

las uvas, grapes

V

la vaca, cow

Valentín, el Día de San_____, St. Valentine's Day

van, they go (third person pl. of ir)

vaya usted, you go (polite command)

vendar, to blindfold

vender, to sell; vende, sells

venga usted, you come (polite command)

vengo, I come

venir, to come

la ventana, window

veo, I see

ver, to see; ¿Qué ve usted?, What do you see?

verde, green

las verduras, greens

el vestido, dress

el vidrio, glass

¿Viene usted a la escuela?, Do you come to school?

vienen, they come

vivir, to live; vive, lives; viven, they live; yo vivo, I live; ¿Dónde vive usted?, Where do you live?

voy, I go

Y

y, and

ya, already

yo, I

Z

los zapatos, shoes

METHOD OF PROCEDURE

Español que funciona means *Functional Spanish*.

How did you and I learn to speak? We heard our mother, governess, or sister talk. We saw what they did. They labeled certain acts; we associated such acts with certain words. They repeated them so often and we heard them so often that the words, phrases, and sentences naturally became a fixed mental habit, an automatic habit, a part of our vocabulary, a pleasure and a means of expression. What a significant accomplishment!

But, was mother holding a book in her hand when she taught us? Was the governess giving us red marks when we said the wrong word? Was our sister holding a grammar in her hand and reprimanding us because we could not repeat the rules? Certainly not. They uttered those words when the occasion arose and in a natural real life situation. For example: "It is time for the baby's bath." "Here are the soft towel, the soap, the oil, the warm water, etc." "It is time to feed the baby." "Here is the orange juice." "Orange juice will make my baby strong and healthy," etc.

The non-Spanish-speaking children who are learning Spanish for the first time are very fortunate to be in a classroom where the Spanish-speaking children predominate. Constant repetition of fluently-spoken Spanish enables the non-Spanish-speaking child to grasp and learn the new language with ease and confidence.

LESSON ONE:
METHOD OF PROCEDURE

The teacher holds a real live yellow cat in his hands and says: "Este es el gato." (An attractive picture of a yellow

cat pasted on cardboard may be substituted.) Each child
must hold the cat and say: "Este es el gato."

The teacher develops the meaning of the word *yellow*
by showing the children a yellow sheet of construction
paper, a yellow pencil, a yellow flower, a yellow crayon, and
saying: "Este es amarillo." Then he says: "El gato es
amarillo." Each child says: "El gato es amarillo."

He shows them a pint of milk and says: "Esta es la
leche." He pours the milk in the pan and while the cat
drinks the milk says: "El gato bebe leche." Each child says:
"El gato bebe leche."

The meaning of the word *drinks* (bebe) is developed by
showing them the picture of a girl drinking tomato juice,
another one drinking orange juice, and one of another child
drinking pineapple juice. The word "bebe" or the phrase
"él bebe," "ella bebe," should be repeated.

SEATWORK ASSIGNMENT:

The teacher gives each child a hectographed copy of the
outline of a large cat and says: "Pinten ustedes amarillo al
gato."

HOW TO TEACH "G" AND "C"

ga,   ge,   gi,   go,   gu.
ca,   ce,   ci,   co,   cu.

When "g" precedes "e" or "i," it has the hard aspirate
sound of the English "h". He pronounces the following:
gato, general, geografía, Giralda, gobernador, golondrina,
guía, Guillermo.

When "c" precedes "e" or "i" it has the soft sound of
the letter "s". Calle, cebolla, cien, cinco, cocina, cuál, cuatro,
cuarto.

LESSON TWO:

MATERIAL NEEDED

A real live white dog, white construction paper, white chalk, a white hat, a piece of white ribbon, a white coat, a white crayon, a pint of milk, a small pan, and a pair of scissors.

The procedure is the same as in lesson one.

SEATWORK ASSIGNMENT:

The teacher hands out hectographed outlines of a white dog. He cuts out one himself with the scissors. Then he says: "Recorten ustedes el dibujo."

LESSON FIVE:

EL REPASO

El repaso is given on Fridays to test the children. The teacher says: "Diga usted el cuento del gato." The child says: "Este es el gato. El gato es amarillo. El gato bebe leche." The teacher says: "Diga el cuento del perro. Diga el cuento del pato."

The teacher places four sheets of construction paper on the running board of the blackboard and asks: "¿Cuál es el papel amarillo?" The child touches the yellow paper and says: "Este es el papel amarillo." "¿Cuál es el papel blanco? morado? rojo?" "Este es el papel blanco; morado; rojo."

The teacher says: "Diga usted los sonidos con la letra g, t, p, rr."

SEATWORK ASSIGNMENT:

Hectographed copies with attractive pictures of a duck, a cat, a dog, and squares or rectangles representing construction sheets of paper are given to the children. The teacher says: "Pinten ustedes morado al pato. Pinten ustedes amarillo al gato. Pinten ustedes rojo, morado, y amarillo el papel. Recorten ustedes el papel blanco."

ACTION LESSON:

With the verb Andar. Procedure:

The teacher says as he walks: "Yo ando. Ande usted, Lucía. Ande usted, Manuel."

The child says as she or he walks:

"Yo ando. Ande usted, María."

María says as she walks: "Yo ando. Ande usted, Juan," etc.

ACTION LESSON:

With the verb Dibujar: Procedure:

The teacher draws a simple flower on the blackboard and says: "Yo dibujo una flor. Esta es una flor. Yo pinto roja una flor." Then, he says: "Dibuje usted una flor, Lupita." Lupita takes the chalk and says as she draws: "Yo dibujo una flor. Esta es una flor. La flor es roja." (Color it with red chalk.)

TOMAR—TO TAKE, TO GET.

The teacher places the pictures of the cat, the dog, duck, the sheets of colored paper, the cow, horse, hen, and the calf on the running board. He says as he takes the picture of the cow in his hand: "Yo tomo la vaca. Este es la vaca. La vaca es alazana. Lucía, tome usted la gallina."

Lucía says: "Yo tomo la gallina. La gallina es gris. Manuel, tome usted el ternero."

Each child takes the cardboard animal to his chair and holds it until another child is requested to take it.

ÉL Y ELLA:

The teacher says: "Manuel, tome usted un animal."
(Manuel toma el ternero.)

The teacher says: "Lucía, ¿qué tomó él?"
Lucía says: "Él tomó el ternero."
The teacher says: "Lucía, tome un animal."
The teacher says: "Juan, ¿qué tomó ella?"
Juan says: "Ella tomó el caballo," etc.

Attractively colored pictures of fruits, vegetables, and animals are easily found in magazines. The alert teacher pastes fresh looking pictures on clean cardboards frequently.

CORRER:

The teacher says as he runs: "Yo corro. Corra usted, Lucía." Then, Lucía says: "Yo corro. Corra usted, Manuel." Manuel says: "Yo corro. Corra usted, Anita."

ANIMALS OR PETS:

The teacher may bring a real cat, and a dog, a live chicken, and a small rabbit to school and let the children feed them milk or grains. This gives the child an opportunity to speak Spanish in a real life situation.

FRUITS AND VEGETABLES:

The teacher may bring almost all the real fruits and vegetables to school. The children touch them, handle them, and smell them. Spanish will become more vital to the child when he handles and touches the fruit and vegetables he is talking and studying about.

THE APPLE:

The teacher shows the children a red, juicy apple as he says: "Esta es la manzana." Each child holds the apple in

his hands and says: "Esta es la manzana. La manzana
es roja. La manzana es redonda." Then the teacher brings
out a dish of thin slices of apples. He takes one slice and says:
"Yo como la manzana." He eats it. Each child is given
one thin slice, but just before he puts it in his mouth, he must
say: "Yo como la manzana."

TIRAR AND COGER:

The teacher brings a large soft ball to school, and as he
throws it to one of the children, says: "Yo tiro la pelota.
Tire usted la pelota."
When he catches it, the teacher says: "Yo cojo la pelota. Coja usted la pelota." The children throw it back
and forth to one another, saying the above-mentioned sentences.

GRAINS:

The teacher may put several grains of corn in a small
glass jar or bottle when teaching *corn* to the children. He
may do likewise with *wheat, rice, and oats*.

ENVIRONMENT VOCABULARY

Such words as door, window, table, chair, book, tablet,
pencil, scissors, paste, eraser, chalk, etc., are very easy to
teach because the children use these articles, touch them, and
handle them every day. In this connection the verbs *escribir, cortar, borrar, pintar, coger, llevar, dar, traer,
pegar, sentarse*, etc., are very easily taught and connected
with a real life situation.

HOW TO TEACH PHONICS:

Phonics should be taught first by rote, the children re-
peating the sounds ga, ge, gi, go, gu; ta, te, ti, to, tu, etc.
On Fridays the teacher may wish to use flash cards.

WHEN SHALL THEY READ?

When the teacher has presented, developed, and taught all the vocabulary-building activities and oral lessons from page one up to page 36, the "Conversación," he should then let the children read for the first time. They should begin on page one. The oral lessons on the first 35 pages can be taught in twelve weeks (3 months). From then on four oral lessons and one reading lesson per week. Material should be read only after it has been developed orally.

GAMES:

La piñata, An Outdoor Game.

The teacher procures a Mexican jar (jarra) or jug, fills it with nuts, peanuts, and paper-covered candy, seals the jug, and decorates it with colored crepe paper. For Hallow'en the piñata may look like a jack-o-lantern, or like a cat. For Thanksgiving it may look like a ruffled turkey gobbler. For St. Valentine's party it may be decorated with white paper and red hearts and valentines. For Easter the jug may look like an Easter rabbit or like an Easter lily.

A rope may be tied between two posts. The jar should be tied to the end of another rope which is then thrown over the first one. The jar remains dangling in mid-air while one of the children pulls it up or down from the other end. This child makes the game interesting by making it difficult for the blindfolded children to hit the jar. Finally, when the jar is broken, the game is over. The child who breaks it is the "hero."

The teacher distributes candy or ice cream and everyone is happy.

"Las canicas" is the ordinary game of marbles which every boy knows, but the purpose of playing it is to conduct it in Spanish and to practice the Spanish language. The teacher is the leader of the game. He must stress and emphasize the sentences given in the book. He must know the game and the vocabulary he is going to stress. In any group of children there are always leaders, those who learn faster. These leaders should be trained. The class may be divided into groups and the leader of each allowed to conduct the game in Spanish. The teacher supervises the groups and tactfully sees that every child participates. Once a game is learned, the children play it at recess time, at noon, before and after school, at home, Saturdays, and Sundays, and they teach it to their younger brothers and sisters, and to their friends and playmates. A game is the easiest and most successful activity. When the teacher plays with his pupils Spanish will function.

"El gato está en la esquina" is the traditional "Puss in the corner" game. It may be played inside, especially during rainy weather.

"El sube y baja" is the See-saw game.

"La Matatena" is the "Ball and Jacks" game, except that it is more fun to play with stones instead of jacks. Eight or nine games can be conducted at once.

"El bebe leche" is an outside game. A large rectangle is drawn on the ground. Several small rectangles are drawn inside the large one. The child who gets across first is the winner, but before he wins he has to throw the piece of glass or flat stone into each one of the squares, and get back to the starting point on one foot and without touching any lines.

"El burro" is "Putting the Tail on the Donkey."

We learn to speak Spanish by speaking Spanish.

The teacher may ask the pupils each day at the beginning of the class period:

¿Qué día es hoy?

Hoy es el día_____de_____de 19____.

¿Cómo se llama usted?

Me llamo_____ _____.

¿Cuántos años tiene usted?

Tengo_____años de edad.

¿Cómo se llama el director de la escuela?

El director de la escuela se llama _____ _____.

¿En dónde vive usted?

Yo vivo por la calle _____, número _____.

¿En qué ciudad vive usted?

Yo vivo en _____, _____.

¿Cuántos alumnos hay en nuestra clase? Cuente usted los niños, Lucía.

Yo cuento los niños. Hay *treinta* alumnos en esta clase.

¿Cuál es la hora del recreo?

El recreo es a las diez y media.

¿Cuándo nos vamos para la casa?

Nos vamos a las tres de las tarde.

¿Qué hora es?

Es la una de la tarde.

Son las nueve de la mañana.

Faltan quince minutos para las once.

Son las diez y quince.

Es la una y media.

Son las doce en punto.

The teacher should teach the lessons on *The Weather* when the occasion arises and only as a real life situation:

LA LLUVIA (*The Rain*)

When it is raining the teacher says:

Está lloviendo. (It is raining.)

The children repeat the sentence.
Está nublado. (It is cloudy.)
El sol no brilla hoy. (The sun is not shining today.)
Hay lodo y agua por las calles y en el patio de la escuela. (There are mud and water on the streets and school grounds.)
Este es un impermeable. (This is a raincoat.)
Estos son los zapatos de hule. (These are the rubber shoes.)
Este es el paraguas. (This is the umbrella.)
Hoy llueve. (It rains today.)
Ayer no llovió. (It did not rain yesterday.)
Mañana lloverá. (It will rain tomorrow.)
Yo oigo el trueno. (I hear the thunder.)
¿Oyen ustedes los truenos? (Do you hear the thunder?)
Yo veo el relámpago. (I see the lightning.) ¿Ven ustedes el relámpago? (Do you see the lightning?)
Esta es una tempestad. Esta es una tormenta. (This is a storm.)
Hay muchas nubes en el cielo. (There are many clouds in the sky.)
¿Ven ustedes las nubes? (Do you see the clouds?)
Hubo tempestad ayer. (There was a storm yesterday.)

NEVANDO (Snowing)

Nevar, to snow.
Nieva hoy. (It snows today.)
Nevó ayer. (It snowed yesterday.)
Nevará mañana, (It will snow tomorrow.)
Hay nieve en el suelo. (There is snow on the ground.)

ESCARCHA (Frost)

Hay escarcha en las casas, árboles, y cercas. (There is frost on the houses, trees, and fences.)

UN DÍA BRILLANTE (A Bright, Sunny Day)

Yo veo el sol. (I see the sun.)
¿Ven ustedes el sol? (Do you see the sun?)

Method of Procedure 75

El sol brilla. (The sun shines.)
Hoy es un día muy claro. (Today is a bright, clear day.)
Hace mucho frío hoy. (It is very cold today.)
Hace mucho calor hoy. (It is very warm today.)
Hace mucho viento hoy. (It is very windy today.)
Hace mucho polvo hoy. (It is very dusty today.)

Supplementary Material

The teacher may show the child the picture or the object he disires to be drawn. The directions should be given in Spanish.

The object of these seatwork assignments is to give the child an opportunity of talking about a real life situation. The seasons, birthdays of great American heroes, and American holidays are real life situations and real life opportunities for speaking Spanish while the children draw and enjoy the variety of the daily routine.

SEPTIEMBRE

Hoy es el día _____ de septiembre de 19_____.
Hoy es el primer día de escuela.
Septiembre tiene treinta días.
Septiembre es el primer mes del otoño.
El otoño es una de las estaciones más hermosas del año. Los árboles cambian de color y las hojas amarillas o doradas caen en el suelo.
Dibujos
Dibujen hojas.
Dibujen una escuela.
Dibujen unos niños entrando en la escuela.

SEPTEMBER

Today is the _____ day of September, 19_____.
Today is the first day of school.
September has 30 days.
September is the first month of autumn.

Autumn is one of the most beautiful seasons of the year. The trees change color and the yellow or golden leaves fall on the ground.

Drawings: Seatwork

Draw some leaves.

Draw a schoolhouse.

Draw some children entering the school grounds or schoolhouse.

EL MES DE OCTUBRE

¿Qué día es hoy?

Hoy es el día 12 de octubre de 19____.

¿Por qué celebramos el día 12 de octubre?

Lo celebramos porque Cristóbal Colón descubrió la América en esa fecha.

¿Cuándo? En 1492.

Dibujos

Colón cuando era niño.

El taller de su padre donde cardaban lana.

Colón ayudándole a su padre en el taller.

Colón a la orilla del mar viendo los buques y vapores que iban para y venían de muchas partes del mundo.

Colón en la corte de los reyes españoles.

Los barcos de Colón: La Pinta, La Niña, Santa María.

Los indígenas (indios) y papagayos que encontró Colón.

OCTOBER

What day is today?

Today is the 12th day of October, 19____.

Why do we celebrate the 12th day of October?

We celebrate it because Cristopher Columbus discovered America on that date.

When? In 1492.

Drawings: Seatwork

Columbus as a boy.

His father's wool-combing shop.

Columbus assisting in the wool combing.

Columbus beside the sea watching the ships and steamers which came from and went to all parts of the world.

Columbus at the court of the king and queen of Spain.

His boats: La Pinta, La Niña, Santa María.

The Indians or natives and parrots which he found.

LA NOCHE DE LAS BRUJAS

Las brujas celebran el último día de octubre.

Dibujos

Dibujen ustedes unas calabazas (fuego fátuo) (jack-o-lanterns); una lechuza, un gato negro, un murciélago, una escoba, una estrella, la media luna, y una bruja.

Hagan ustedes una máscara de papel. Pinten negros el pelo y los ojos, rojos la boca o los labios, amarilla la nariz, rojas las orejas, y blancos los dientes.

HALLOWE'EN or The Night of the Witches

The witches celebrate the last day of October.

Drawings: Seatwork

Draw some pumpkins, (jack-o-lanterns), an owl, a black cat, a bat, a broom, a star, a half-moon, and a witch.

Make a paper mask. Color the hair and eyes black, the mouth or lips red, the nose yellow, the ears red, and the teeth white.

EL MES DE NOVIEMBRE

¿Cuándo es el día de dar gracias?

Dibujos

Dibujen ustedes a los Peregrinos.

Dibujen ustedes un pavo o un guajolote.

Dibujen ustedes el maíz.

Dibujen ustedes un pastel de calabaza.

¿Cuándo es el día del Armisticio?

El día del Armisticio se celebra el día once de noviembre.

Dibujos

Dibujen ustedes la bandera de los Estados Unidos. ¿Cuáles son los colores de nuestra bandera?

Los colores de nuestra bandera son: rojo, blanco, y azul.

Dibujen ustedes un soldado.

Dibujen ustedes un marinero.

Dibujen ustedes un clarín.

Dibujen ustedes una banda de música marchando por la calle.

Dibujen ustedes un tambor.

NOVEMBER

When is Thanksgiving Day?

Drawings: Seatwork

Draw the Pilgrims.

Draw a turkey.

Draw some corn.

Draw a pumpkin pie.

When is Armistice Day?

Armistice Day is celebrated on the 11th day of November.

Drawings

Draw the flag of the United States. What are the colors of our flag? The colors of our flag are: red, white, and blue.

Draw a soldier.

Draw a sailor.

Draw a trumpet.

Draw a band marching down the street.

Draw a drum.

EL MES DE DICIEMBRE

¿Cuándo es la Navidad?

Dibujos

Dibujen ustedes un árbol de Navidad.

Dibujen ustedes una vela de cera.

Dibujen ustedes unas coronas.

Dibujen ustedes unas estrellitas.

Dibujen ustedes un hombre de nieve.

¿Qué día se cierra la escuela para celebrar los días de fiesta?

La escuela se cierra el día _____ de diciembre.

¿Cuándo se abre la escuela? La escuela se abre el día____ de enero.

¿Qué día es el día primero del año?

El primer día del año se llama el Año Nuevo.

DECEMBER

When is Christmas day?

Drawings: Seatwork

Draw a Christmas tree.

Draw a candle.

Draw some wreaths.

Draw some little stars.

Draw a snow man.

On what day does school close in order to celebrate the holidays?

School closes on the_____day of December.

When will school open? School will open on the_____ day of January.

What day is the first day of the year?

The first day of the year is New Year's Day.

EL MES DE FEBRERO

¿Cuándo nació Abraham Lincoln?

Lincoln nació el día 12 de febrero de 1809 en el estado de Kentucky.

Lincoln fué uno de los presidentes más famosos de los Estados Unidos.

Lincoln les dió la libertad a los esclavos.

¿Cuándo nació George Wáshington?

Wáshington nació el día 22 de febrero de 1732 en el estado de Virginia.

Dibujos
Dibujen ustedes la cabaña de Lincoln.
Dibujen ustedes el cerezo. (Wáshington)
Dibujen ustedes el hacha.

EL DÍA DE SAN VALENTÍN

Dibujen ustedes unos corazones.
Hagan ustedes unas tarjetas para poner en el buzón.

FEBRUARY

When was Abraham Lincoln born?
Lincoln was born on the 12th day of February, 1809, in the state of Kentucky.
Lincoln was one of the most famous presidents of the United States.
Lincoln freed the slaves.
When was George Washington born?
Washington was born on the 22nd day of February, 1732, in the state of Virginia.

Drawings: Seatwork
Draw Lincoln's log cabin.
Draw the cherry tree.
Draw the little ax.

ST. VALENTINE'S DAY

Draw some hearts.
Make some postcards to mail.

MARZO, ABRIL, Y MAYO

Dibujen ustedes unas flores.
Dibujen ustedes varios árboles.
Dibujen ustedes algunos pájaros.
Hagan ustedes una cesta de papel.

MARCH, APRIL, AND MAY

Draw several flowers.
Draw several trees.
Draw some birds.

LOS SONIDOS—THE SOUNDS

The foundation of spoken Spanish is, of course, pronunciation. English-speaking people should not have much difficulty in acquiring the proper sounds. The majority of the letters are pronounced about the same, but there are several differences which must be mastered. The following table uses the most prevalent combinations of consonants and vowels and an attempt is made at approaching the proper Spanish sounds with arrangement of letters which will force similar sounds by the usual English pronunciations. This is only an attempt and an approach to getting the proper sounds but it has been found to be useful for all practical purposes.

| Spanish | ba | be | bi | bo | bu |
| English | bah | bay | bee | bo | boo |

| Spanish | ca | ce | ci | co | cu |
| English | cah | say | see | co | coo |

| Spanish | cha | che | chi | cho | chu |
| English | tchah | tchay | tchee | tcho | tchoo |

| Spanish | da | de | di | do | du |
| English | dah | day | dee | do | doo |

| Spanish | fa | fe | fi | fo | fu |
| English | fah | fay | fee | fo | foo |

| Spanish | ga | ge | gi | go | gu |
| English | gah | hay | hee | go | goo |

Spanish	ha	he	hi	ho	hu
English	ah	ay	ee	o	oo

(the *h* is silent in Spanish)

Spanish	ja	je	ji	jo	ju
English	hah	hay	hee	ho	hoo

Spanish	la	le	li	lo	lu
English	lah	lay	lee	lo	loo

Spanish	lla	lle	lli	llo	llu
English	yah	yay	yee	yo	yoo

Spanish	ma	me	mi	mo	mu
English	mah	may	mee	mo	moo

Spanish	na	ne	ni	no	nu
English	nah	nay	nee	no	noo

Spanish	ña	ñe	ñi	ño	ñu
English	nyah	nyay	nyee	nyo	nyoo

Spanish	pa	pe	pi	po	pu
English	pah	pay	pee	po	poo

Spanish	que			qui	
English	kay			kee	

Spanish	ra	re	ri	ro	ru
English	rah	ray	ree	ro	roo

Spanish	rra	rre	rri	rro	rru
English	rrah	rray	rree	rro	rroo

Spanish	sa	se	si	so	su
English	sah	say	see	so	soo

Spanish	ta	te	ti	to	tu
English	tah	tay	tee	to	too

Spanish	va	ve	vi	va	vu
English	vah	vay	vee	vo	voo

Spanish	xa	xe	xi	xo	xu
English	hah	hay	hee	ho	hoo

Spanish	ya	ye	y	yo	yu
English	yah	yay	ee	yo	yoo

Spanish	za	ze	zi	zo	zu
English	sah	say	see	so	soo

Spanish, Las Vocales:	a	e	i	o	u
English, The Vowels:	ah	ay	ee	o	oo

a is in f*a*ther; *e* as in l*e*t; *i* as in s*ee*; *o* as in s*o*; *u* as in t*oo*k.

        u is silent in que, qui

        u is silent in gue, gui

ai —airón	ia —iglesia
au—caudillo	ie —hierro
ei —reinado	io —necio
eu—Ceuta	ua—cuarto
oi —oiga	ue—muerte
ou—bou	uo—contiguo